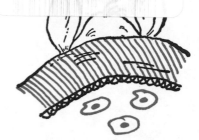

DEJEN QUE PAPÁ DUERMA

Cuento y Pinturas por EMILY REED
Consultante Editorial: LILIAN MOORE

Traducción del inglés por PURA BELPRÉ

GROSSET & DUNLAP
Publishers
New York, N. Y. 10010

Señora Coneja dijo tres cosas.

Ella dijo, "Esténse quietos."

Ella dijo, "No hagan ruido."

Y ella dijo, "Dejen que Papá duerma."

7

Papá estaba
profundamente dormido
en la cama.

"¿Qué podemos jugar
que sea quieto?"
preguntó Pip.

"Busquemos
alguna cosa quieta," dijo Chip.

9

Buscaron y buscaron.

Buscaron aquí, y aquí,

y aquí—y allá.

"Creo que es aquí,"
dijo Chip.

"No, aquí no," dijo Pip.
"Aquí no, o aquí,
o aquí—o allá."

"¡Cuidado!" gritó Chip.

Era muy tarde.

¡TANTÁN! ¡TANTÁN!

¡TANTÁN! ¡TANTÁN!

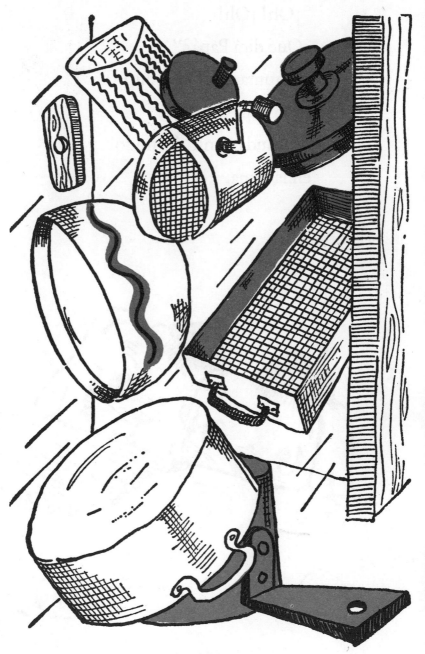

"¡Oh! ¡Oh!
¿Qué dirá Papá?"
preguntaron Pip y Chip.
Pero Papá estaba
profundamente dormido
en la cama.

"Esténse quietos," dijo Pip.

"No hagan ruido," dijo Chip.

"Dejen que Papá duerma."

Buscaron una cosa quieta.

Buscaron aquí,

y allá,

y arriba y abajo.

18

"Creo que es aquí,"
dijo Pip.
"No, aquí no," dijo Chip,
o aquí,
o aquí—o allá."

"¡Cuidado!" gritó Pip.

Era muy tarde.

¡BUM!

"¡Oh! ¡Oh!
¿Qué dirá Papá?"
preguntaron Pip y Chip.

Pero Papá estaba
profundamente dormido
en la cama.

"Esténse quietos," dijo Pip.

"No hagan ruido," dijo Chip.

"Dejen que Papá duerma."

Buscaron una cosa quieta.

Buscaron allí,

y aquí,

y allá.

"Creo que es aquí,"
dijo Chip.

"No," dijo Pip.

"Creo que es aquí."

"¡Cuidado!" gritó Chip.

Era muy tarde.

¡CRAS!

"¡Oh! ¡Oh!
¿Que dirá Papá?"
Pero Papá estaba
profundamente dormido
en la cama.

"Chip, ¿dónde estás?" gritó Pip.

Buscó por todas partes.

Buscó por encima y por abajo.

Buscó arriba y abajo.

"Aquí estoy," gritó Chip.

Y allí estaba.

¡Toma!

Encontré la cosa quieta,"
dijo Chip.

"¿Dónde?" preguntó Pip.

"Aquí," gritó Chip.

Pip sopló,
y Chip sopló.

Soplaron

y soplaron.

Y entonces . . .

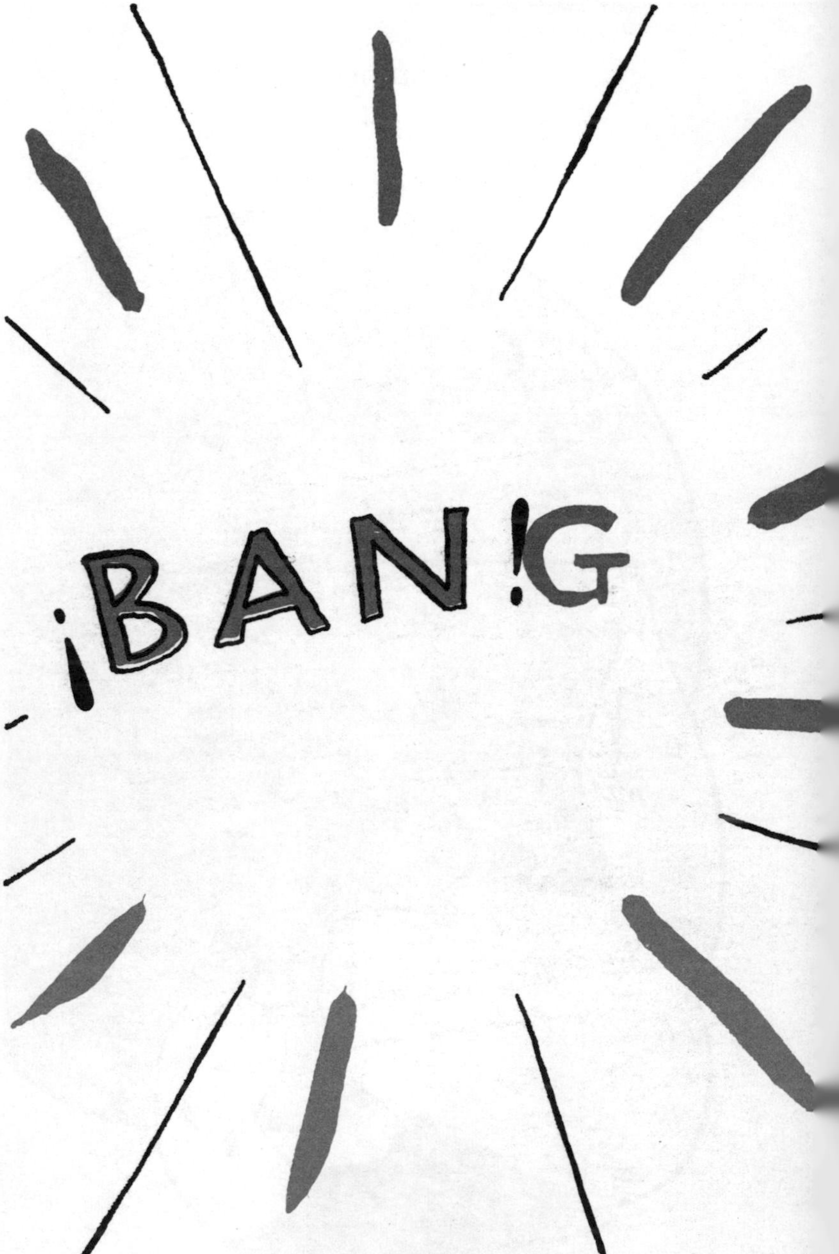
¡BANG!

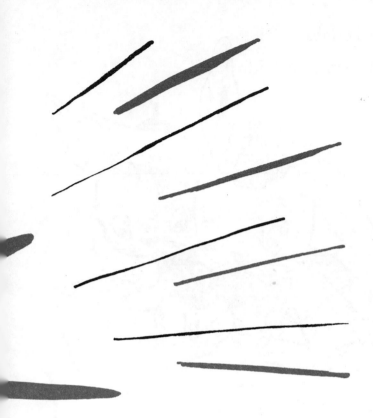

"No era muy quieto," dijo Chip.

"Hizo un ruido grande," dijo Pip.

"¿Qué dirá Papá?"

Pero Papá estaba
profundamente dormido
en la cama.

"Esténse quietos," dijo Pip.

"No hagan ruido," dijo Chip.

"Dejen que Papá duerma."

Una mosca voló adentro.
Una mosca voló adentro
y se sentó
en la nariz de Papá.

La mosca caminó hacia arriba
sobre la nariz de Papá.
La mosca caminó hacia abajo
sobre la nariz de Papá.
Arriba y abajo. Arriba y abajo.
Arriba y abajo sobre la nariz de Papá.

Papá saltó.

"¡SILENCIO!" gritó.

"¿Quién está haciendo ese ruido?"

"Una mosquita," dijeron Pip y Chip.

"¡Una mosquita!" gritó Papá.

"¿Una mosquita hizo todo ese ruido?"

"¿Una mosquita silenciosa

hizo TODO ESE RUIDO?"

gritó Papá.

"Sí, Papá.

Una mosquita silenciosa,"

dijeron Pip y Chip.

Y entonces Señora Coneja

Llegó a casa.

Miró el desarreglo.

Miró allí,

y allí, y allá.

53

"¿Quién hizo este desarreglo?"
preguntó Señora Coneja.
"¿Por qué está esto aquí,
y esto aquí,
y esto aquí?"

"¿Por qué está esto aquí afuera?

Y esto aquí dentro?

Y esto aquí?"

preguntó Señora Coneja.

Chip y Pip
estaban muy,
muy quietos.

Chip y Pip
no hicieron nungún ruido.

"¿Y quién despertó a Papá?"
Señora Coneja preguntó.
Y Papá le dijo.

"¡UNA MOSQUITA SILENCIOSA!"

dijo Papá.